LA LIBRAIRIE DU XXIᵉ SIÈCLE
Collection
dirigée par Maurice Olender

Jean-Claude Grumberg

# La Plus Précieuse des marchandises

Un conte

Éditions du Seuil

isbn 978-2-02-141419-6

© Éditions du Seuil, janvier 2019

www.seuil.com

# 1

Il était une fois, dans un grand bois, une pauvre bûcheronne et un pauvre bûcheron.

Non non non non, rassurez-vous, ce n'est pas *Le Petit Poucet*! Pas du tout. Moi-même, tout comme vous, je déteste cette histoire ridicule. Où et quand a-t-on vu des parents abandonner leurs enfants faute de pouvoir les nourrir? Allons…

Dans ce grand bois donc, régnaient grande faim et grand froid. Surtout en hiver. En été une chaleur accablante s'abattait sur ce bois et chassait le grand froid. La faim, elle, par contre, était constante, surtout en ces temps où sévissait, autour de ce bois, la guerre mondiale.

La guerre mondiale, oui oui oui oui oui.

Pauvre bûcheron, requis à des travaux d'intérêt public – au seul bénéfice des vainqueurs occupant villes, villages, champs et forêts –, c'était donc pauvre bûcheronne qui, de l'aube au crépuscule, arpentait son bois dans l'espoir souvent déçu de pourvoir aux besoins de son maigre foyer.

Fort heureusement – à quelque chose malheur est bon – pauvre bûcheron et pauvre bûcheronne n'avaient pas, eux, d'enfants à nourrir.

Le pauvre bûcheron remerciait le ciel tous les jours de cette grâce. Pauvre bûcheronne s'en lamentait, elle, en secret.

Elle n'avait pas d'enfant à nourrir certes, mais pas non plus d'enfant à chérir.

Elle priait donc le ciel, les dieux, le vent, la pluie, les arbres, le soleil même quand ses rayons perçaient le feuillage illuminant son sous-bois d'une transparence féerique. Elle suppliait ainsi toutes les puissances du ciel et de la nature de bien vouloir lui accorder enfin la grâce de la venue d'un enfant.

Peu à peu, l'âge venant, elle comprit que les puissances célestes, terrestres et féeriques s'étaient toutes liguées avec son bûcheron de mari pour la priver d'enfant.

Elle pria donc désormais pour que cessent au moins le froid et la faim dont elle souffrait du soir au matin, la nuit comme le jour.

Pauvre bûcheron se levait avant l'aube afin de donner tout son temps et toutes ses forces de travail à la construction de bâtiments militaires d'intérêt général et même caporal.

La pauvre bûcheronne, qu'il vente, qu'il pleuve, qu'il neige ou qu'il règne cette chaleur suffocante dont je vous ai déjà parlé, cette pauvre bûcheronne donc, arpentait son bois en tous sens, recueillant chaque brindille, chaque débris de bois mort, ramassé et rangé comme un trésor oublié et retrouvé. Elle relevait aussi les rares pièges que son bûcheron de mari posait le matin en se rendant à son labeur.

La pauvre bûcheronne, vous en conviendrez, jouissait de peu de distractions. Elle marchait, la faim au ventre, remuant dans sa tête ses vœux qu'elle ne savait plus désormais comment formuler. Elle se contentait d'implorer le ciel de manger, ne serait-ce qu'un jour, à sa faim.

Le bois, son bois, sa forêt, s'étendait large, touffu, indifférent au froid, à la faim, et depuis le début de cette guerre mondiale, des hommes requis, avec des machines puissantes, avaient percé son bois dans sa longueur afin de poser dans cette tranchée des rails et depuis peu, hiver comme été, un train, un train unique passait et repassait sur cette voie unique.

Pauvre bûcheronne aimait voir passer ce train, son train. Elle le regardait avec fièvre, s'imaginait voyager elle aussi, s'arrachant à cette faim, à ce froid, à cette solitude.

Peu à peu elle régla sa vie, son emploi du temps sur les passages du train. Ce n'était pas un train d'aspect souriant. De simples wagons de bois avec une sorte d'unique lucarne garnie de barreaux dont était orné chacun de ces wagons. Mais comme pauvre bûcheronne n'avait jamais vu d'autres trains, celui-ci lui convenait parfaitement, surtout depuis que son époux, répondant à ses questions, avait déclaré d'un ton péremptoire qu'il s'agissait d'un train de marchandises.

Ce mot « marchandises » acheva de conquérir le cœur et d'enflammer l'imagination de la pauvre bûcheronne.

« Marchandises » ! Un train de marchandises… Elle voyait désormais ce train débordant de victuailles, de vêtements, d'objets, elle se voyait parcourir ce train, se servir et se rassasier.

Peu à peu l'exaltation fit place à un espoir. Un jour, un jour peut-être, demain, ou le surlendemain, ou n'importe quand, le train aura enfin pitié de sa faim et au passage lui fera l'aumône d'une de ses précieuses marchandises.

Bientôt elle s'enhardit, s'approchant du train le plus possible, l'appelant, le hélant d'un geste, l'implorant de la voix, ou le saluant simplement quand elle était trop loin pour y arriver à temps.

Enfin, quelquefois, une main dépassait d'une de ces lucarnes et lui répondait. Quelquefois aussi l'une de ces mains lançait à son intention quelque chose qu'elle courait alors ramasser en remerciant le train et la main.

Ce n'était la plupart du temps qu'un bout de papier qu'elle défroissait avec soin et un immense respect avant de le replier et de le ranger sur son cœur. Était-ce l'annonce d'un cadeau à venir ?

Longtemps après le passage du train, lorsque la nuit tombait, lorsque la faim se faisait trop sentir, lorsque le froid la mordait davantage et afin que son cœur ne se serre pas trop, elle redépliait le papier avec un respect religieux et elle contemplait les gribouillis inintelligibles, indéchiffrables. Elle ne savait ni lire ni écrire, en aucune langue. Son bonhomme de mari savait lui, un peu, mais elle ne voulait partager avec lui, ni avec personne, ce que son train lui offrait.

## 2

Dès qu'il découvrit ce wagon de marchandises – wagon à bestiaux vu la paille
au sol –, il sut que leur chance était derrière
eux. Jusque-là, de Pithiviers à Drancy, ils
avaient eu la chance au moins de ne pas
être séparés. Ils avaient vu, hélas, tous les
autres, les malchanceux, partir les uns après
les autres pour on ne sait où, et eux étaient
restés ensemble. Ils devaient, pensait-il, cette
grâce à la présence de ses jumeaux chéris,
Henri et Rose, Hershele et Rouhrele.

En vérité, les jumeaux s'étaient d'abord
manifestés au pire instant, au printemps
1942. Était-ce le moment de mettre au

monde un enfant juif? Pire, deux enfants juifs d'un coup? Fallait-il les laisser naître ainsi sous une bonne étoile jaune? Pourtant, grâce à eux, il en était sûr, ils avaient passé Noël 42 au camp de Drancy ensemble, toujours.

Et même leur bonne étoile et l'administration juive du camp lui avaient trouvé un emploi! Il venait presque de terminer ses études de médecine – spécialité chirurgie yeux nez gorge oreilles – mais à Drancy, lui avait-on dit, il y avait beaucoup de médecins, beaucoup de malades aussi c'est vrai – partout où il y a des juifs, il y a beaucoup de médecins et encore plus de malades –, mais comme deux de leurs coiffeurs venaient de partir... Coiffeur? Va pour coiffeur.

Il était inutile de couper les cheveux en quatre et de chercher à comprendre, il n'y avait plus rien à comprendre.

Tant qu'il y avait eu les gendarmes français pour les garder, il les avait coiffés. Il avait vu si souvent son père agiter ses ciseaux, les faire cliqueter en l'air comme s'il voulait prévenir les cheveux du client qu'il allait sous peu passer à l'offensive, et puis ensuite, fixant la nuque, concentré, fondre sur l'épi rebelle, la petite touffe à raser d'un coup décisif. Même les coiffeurs de métier l'avaient pris pour l'un des leurs.

Mais quand les gendarmes nationaux furent remplacés par des vert-de-gris, il ne lui resta plus que les membres de l'administration et quelques internés qui faisaient appel à ses services, clientèle relative et désespérée, à qui il fallait mentir et mentir. «Mais oui, mais oui, ça ira, ça va aller, ça va aller…»

Au printemps 42, oui, ils avaient failli les faire passer, sans savoir d'ailleurs qu'ils seraient deux. Mais son épouse, après réflexion, avait souhaité les garder. Elle avait fini par mettre au monde deux petits êtres déjà juifs, déjà fichés, déjà classés, déjà recherchés, déjà traqués, une fillette et un garçon, hurlant en chœur déjà comme s'ils savaient, comme s'ils

comprenaient. « Ils ont les yeux de ton père »,
décréta leur mère. Oui, leurs premiers cris
furent terribles. Seule leur mère, débordante
de lait et d'espoir, sut les calmer. Ils cessèrent
bientôt de hurler en chœur et enfin, confiants,
continuèrent à téter en rêve.

Dans cette petite et discrète clinique d'accou-
chement de la rue de Chabrol, au coin de
la cité d'Hauteville, on leur proposa même
de garder les enfants et de les confier à une
famille sûre. Qu'est-ce qu'une famille sûre ?
« Quelle famille pour eux peut être plus sûre
que celle composée de leur propre père et de
leur propre mère ? » s'était exclamée Dinah,
tout en serrant ses jumeaux contre ses seins
avec fierté. Elle qui, malgré les privations,
malgré Drancy, était, disait-on, pourvue de lait
pour quatre. Elle débordait de lait, d'amour et
de confiance. Dieu pouvait-il avoir donné la
vie à ces deux chérubins sans avoir l'intention
de les aider à grandir ?

Et maintenant, cahotés dans ce train, elle

était là, sur la paille, serrant contre elle ses enfants, sans lait pour les nourrir. Drancy avait eu raison, enfin, de son lait, de sa confiance et de sa foi. Là, dans cette cohue, dans cette panique, dans ces cris, dans ces pleurs, le père, le mari, le faux coiffeur, le pas encore médecin, mais déjà le vrai juif, cherchait un endroit pour abriter sa famille. En observant ses compagnons de voyage, les dévisageant, il eut une illumination. Non non, on n'emmenait pas ces vieillards, cet aveugle, ces enfants, ces jumeaux et les autres, non, on ne les emmenait pas travailler. On les expédiait loin d'ici, on ne voulait plus d'eux ici, même marqués, même étoilés, même fichés, même emprisonnés, même privés de liberté, de tout et de tout, même ainsi on ne voulait plus d'eux.

Alors on les expédiait. Mais où ? Dans quel endroit de ce monde voulait-on d'eux ? Quel pays était prêt à les accueillir ? Quel pays les aurait volontiers reçus en ce mois de février 1943 ?

Le problème n'était pas là. Dinah n'avait plus ou que très peu de lait. Drancy avait tari ses seins. Les rumeurs, le départ de ses parents à elle, puis de son père à lui. Ils étaient partis et depuis n'avaient plus donné signe de vie. Elle était écrasée au sol, là même où il y avait, il y a peu, des vaches ou des chevaux qu'on emmenait certainement vers un abattoir. Elle avait étalé son châle de laine des Pyrénées qu'on lui avait laissé par grâce pour envelopper ses jumeaux. Le froid régnait, la guerre, la peur. Elle en berçait un, l'autre alors pleurait. Elle berçait l'autre, le premier grognait. C'étaient deux beaux bébés, un garçon, une fille. «Le choix du roi, leur répétait-on. Les plus beaux bébés du monde. Avec eux deux, vous voilà comblés pour la vie! Moi j'ai eu trois filles avant d'avoir mon garçon! Vous, vous avez déjà les deux!» Où sont-ils maintenant? Chacun y allait de ses souvenirs, de ses cris, de sa colère. L'abattement, l'exaspération. Une femme chantait en yiddish une berceuse. Dinah comprenait le yiddish mais affectait de ne pas le connaître.

Que faire ? Que faire, se demandait l'ex-faux coiffeur. Jusque-là il avait cru remplir son rôle de père à la perfection malgré toutes les difficultés. Malgré les obstacles, il avait su protéger ses jumeaux. Il avait obsédé l'administration du camp. « Ses jumeaux ! Mes jumeaux ! » C'étaient devenus les jumeaux de tout le monde, ceux qu'il fallait sauver, protéger, et voilà… et voilà. Il se sentait démuni, dépassé, il ne savait plus que faire. Il ne pouvait rester ainsi, il se devait de reprendre son rôle, il lui fallait trouver une solution. Déjà deux jours de voyage. L'odeur, l'odeur insoutenable. Le seau sur la paille dans un coin et la honte, la honte partagée, la honte voulue, prévue par ceux qui les expédiaient on ne sait où.

Les réduire à rien d'abord, puis à moins que rien, ne rien laisser d'humain en eux, soit. Mais il se devait pour ses enfants, qu'il voyait mordre tour à tour les seins de son épouse sans que rien n'en sorte, il se devait de trouver une solution.

L'un de ses compagnons de voyage lui demanda s'il était roumain. Oui il était roumain. Le Roumain lui dit que lui, avant, était roumain aussi et que maintenant il était apatride d'origine roumaine. Dans ce wagon, il y avait beaucoup d'apatrides d'origine roumaine. On les avait pris à Paris ou ailleurs en France. L'un d'entre eux, donc, lui parla de Iassi.

« Vous connaissez Iassi ?

– Bien sûr je connais Iassi.

– Il y a eu un pogrom là-bas.

– Un pogrom ? Il y a la guerre là-bas comme ici, plus besoin de pogrom.

– Non non, un pogrom. Ils ont mis des milliers de juifs dans un train à Iassi, et ils ont fait rouler ce train, et rouler et rouler, jusqu'à ce que les juifs dans le train meurent, de chaleur, de soif, de faim. »

À chaque gare où le train s'arrêtait, on le débarrassait de ses morts et le train repartait avec les survivants. Parfois il repartait dans l'autre sens, il roulait en sens contraire. Le train n'allait nulle part, le seul but du voyage c'était ça : jeter sur le quai à chaque gare…

« Ici vous voyez bien qu'on avance, qu'on ne s'arrête pas ! Et puis qu'on a froid, qu'on n'a pas chaud.

– C'est comme à Iassi je vous dis ! Comme à Iassi ! »

Depuis, à chaque arrêt du train en pleine voie, il craignait qu'on reparte dans l'autre sens. Qu'on s'arrête dans une gare et qu'on jette des wagons les mourants, les enfants, les vieillards. Il se mordait les mains. Que faire ? Que faire ? Il gagna la lucarne en s'excusant, poussant l'un, repoussant l'autre. Là, un vieillard essayait de reprendre son souffle. Il haletait. L'asthme, lui dit-il. Puis il sourit au père des jumeaux. Il hocha la tête et le regarda avec des yeux qui semblaient avoir déjà tout compris, des yeux qui avaient, depuis sà naissance, tout prévu. Il n'avait pas l'air surpris, il avait juste besoin d'un peu d'air.

La neige dehors ralentissait la marche du train. Puis le train s'immobilisa un court instant avant de repartir, devenu soudain asthmatique lui aussi. C'est alors qu'il comprit.

Il bouscula les uns et les autres. Il rejoignit le châle de laine des Pyrénées. Surtout ne pas choisir, surtout ne plus réfléchir, se saisir de l'un des deux, ne pas choisir entre le garçon et la fille. Il prit le premier qui lui tomba sous la main. Il avait déjà sorti de sa poche son châle de prière. L'enfant somnolait. Dinah le regarda un instant puis referma les yeux, elle aussi, serrant l'autre jumeau.

Lui, tout en dépliant son châle, regagna la lucarne. Les barreaux, les barreaux permettaient de sortir un bras. Le train reprit un peu de vitesse. Il découvrit la forêt, les arbres croulant sous la neige. Il distingua une silhouette qui semblait courir après le train, levant les pieds haut dans la neige, et qui criait.

Il serra l'enfant, l'enveloppa dans son châle de prière. L'asthmatique le fixait et semblait lui dire des yeux : « Ne fais pas ça ! Ne fais pas ça ! Ne fais pas ce que tu veux faire ! » Mais lui était résolu. Pas assez de lait pour deux. Peut-être assez pour un ?

Fébrile, il souleva l'enfant enveloppé dans le châle. La tête passerait-elle ? L'asthmatique alors lui dit en yiddish : « Ne fais pas ça ! » Mais le père le fixa et fit comme s'il ignorait totalement le yiddish. La tête passée, les épaules suivaient. Puis il fit un geste en direction de la vieille qui s'arrêtait, agenouillée dans la neige, comme si elle remerciait le ciel.

Le train sortit du bois.

## 3

Pauvre bûcheronne, ce matin-là comme tous les matins, tôt, très tôt, dans ce demi-jour d'hiver, s'essouffle dans la neige afin de ne pas manquer le passage de son train. Elle se presse et se presse, ramassant çà et là quelques branchages que le poids de la neige et de la nuit a brisés et jetés au sol. Elle court, elle court, arrachant ses pieds chaussés de peaux de renardeaux retournées et façonnées par les soins de son pauvre bûcheron de mari.

Elle court, arrachant les renardeaux à la neige. Elle court, elle court, et quand enfin elle débouche haletante dans la clairière qui borde la voie ferrée, elle entend son train ahaner, tout comme elle, s'essouffler, gémir, ralentir comme elle, gêné par cette neige épaisse et drue qui les empêche l'un et l'autre d'avancer.

Elle fait des gestes de ses bras tout en hurlant : « Attends-moi ! Attends-moi ! »

Le train ahane et avance.

Mais cette fois-ci, en passant, il lui répond. Le train de marchandises – le convoi 49 – lui répond !

Et non pas d'un signe mais d'un geste. Pas un de ces gestes accompagnant le jet de ces misérables morceaux de papier froissés et gribouillés à la hâte par une main maladroite, non, un geste, un vrai geste. D'abord un drapeau a surgi de l'étroite lucarne, brandi par une main, une main, humaine ou divine, qui le lâche soudain, et le drapeau vient déposer sa charge, dans la neige, à quelque vingt pas de notre pauvre bûcheronne qui en tombe à genoux, mains serrées sur sa poitrine, ne sachant que faire pour remercier les cieux. Enfin, enfin, après tant de vaines prières! Mais la main dans la lucarne se tend maintenant vers elle et d'un doigt, d'un doigt péremptoire, impérieux, lui fait signe de ramasser le paquet. Ce paquet est pour elle. Pour elle seule. Il lui est destiné.

Pauvre bûcheronne se débarrasse alors de son maigre fagot d'hiver et, aussi vite que la neige le lui permet, elle se précipite sur le petit paquet pour l'arracher à la neige. Puis, avidement, fébrilement, elle défait les nœuds comme on arrache l'emballage d'un cadeau mystérieux.

Alors apparaît, ô merveille, l'objet, l'objet qu'elle appelait depuis tant de jours de ses vœux, l'objet de ses rêves. Mais voilà que le petit paquet, l'objet à peine défait, au lieu de lui sourire et de lui tendre les bras, comme le font les bébés sur les images pieuses, s'agite, hurle, serre les poings les brandissant bien haut dans son désir de vivre, torturé par la faim. Le paquet proteste et proteste encore.

Notre pauvre bûcheronne serre le petit être contre elle, l'enfouissant sous ses fichus superposés, et la voilà qui se met à courir et courir encore, serrant son trésor contre sa poitrine. Soudain elle s'immobilise, elle sent une bouche avide qui vient téter son maigre sein, puis cesse et hurle de nouveau, s'agitant encore davantage, se débattant, criant, hurlant. Il a faim, cet enfant a faim, mon enfant a faim. Elle se sent devenue mère, à la fois heureuse et mortellement inquiète. Comblée mais dépassée. La voilà mère, et mère sans lait. Mon enfant a faim, que faire, que faire ? Pourquoi le dieu du train de marchandises ne lui a-t-il pas fait don de lait pour nourrir l'enfant qu'il lui offre ? Pourquoi ? À quoi pensent donc les dieux ? Avec quoi veulent-ils que je le nourrisse ?

Arrivé au logis, le petit paquet posé sur le lit se tortille de plus belle, animé de l'énergie du désespoir et d'une faim de loup pris au piège. Pauvre bûcheronne allume alors un feu, verse de l'eau dans sa bouilloire, et cherche, cherche, et cherche encore.

Pendant que l'eau bout, elle trouve un reste de kacha qu'elle va faire macérer dans l'eau bouillie, mais avant, pour calmer son petit paquet, elle tend son doigt vers la bouche avide. Le petit paquet s'en empare et tète, tète, avec une rage obstinée. Puis soudain, s'avisant de la supercherie, il cesse de téter et se remet à hurler. Pauvre bûcheronne, pleurant en écho, le prend contre elle, tout en écrasant la kacha pour en faire une bouillie qu'elle tente, à l'aide d'une cuillère, de glisser dans la bouche hurlante. N'y arrivant pas, elle retrempe ce même doigt dans la kacha écrasée et l'offre de nouveau à la bouche de l'enfant qui tète encore avec passion, puis lâche le doigt, recrachant l'amère kacha.

Pauvre bûcheronne en profite pour lui faire avaler un peu d'eau de cuisson, puis elle retend son doigt, l'enfant tète à nouveau. Peu à peu, avec de l'eau qui désaltère, de la kacha qui trompe sa faim, l'enfant se calme dans les bras de sa nouvelle mère tandis que pauvre bûcheronne chuchote à son oreille comme une chanson, une berceuse revenue de la nuit des temps et qui la surprend elle-même :

« Dors dors ma petite marchandise, dors dors mon petit paquet à moi, dors dors mon enfant, dors dors. »

Puis elle dépose délicatement son précieux trésor au creux de son lit. Ses yeux alors se posent sur le châle déplié qu'elle a mis à sécher à même le lit. Un châle somptueux, fait de fils si fins, tissés si serrés, orné de franges aux deux bouts et brodé de fils d'or et d'argent. Jamais elle n'a vu ni touché un châle aussi précieux. Il faut vraiment, pense-t-elle, que les dieux aient bien fait les choses en empaquetant leur cadeau dans une étoffe aussi somptueuse. Bientôt elle s'assoupit à son tour, son petit paquet, sa petite marchandise chérie serrée dans ses bras, enveloppée dans le châle féerique.

Elle dort notre pauvre bûcheronne, elle dort, son bébé bien serré dans ses bras, elle repose du sommeil des justes, elle dort là-haut, bien plus haut que le paradis des pauvres bûcherons et des pauvres bûcheronnes, bien plus haut encore que l'Éden des heureux de ce monde, elle dort tout là-haut là-haut, dans le jardin réservé aux dieux et aux mères.

## 4

La nuit venue, tandis que pauvre bûcheronne et son don des cieux dorment, pauvre bûcheron, harassé par son labeur d'intérêt général, rentre au logis. Au bruit qu'il fait, la petite marchandise se réveille et, retrouvant sa faim inassouvie, pleure aussitôt.

« Qu'est-ce que c'est que ça ? rugit pauvre bûcheron.

– Un enfant, répond pauvre bûcheronne en se dressant, son petit paquet dans les bras.

– Qu'est-ce que c'est que cet enfant-là ?

– La joie de ma vie, poursuit pauvre bûcheronne, sans ciller ni trembler.

– La quoi ?

– Les dieux du train m'en ont fait don.

– Les dieux du train ?!

– Pour qu'il devienne l'enfant chéri que je n'ai jamais eu. »

Pauvre bûcheron se saisit alors de la petite marchandise, l'arrachant à l'étreinte de pauvre bûcheronne, ce qui a pour effet paradoxal de faire cesser les cris et les pleurs du bébé qui aussitôt, de ses petites mains avides, se saisit de la barbe de pauvre bûcheron qu'il tente immédiatement de téter.

« Ne sais-tu pas ce que c'est que cet enfant-là ? Ne sais-tu pas ? »

Et il lâche soudain l'enfant sur le lit dans un geste de dégoût, comme on jette au rebut un morceau de viande avariée.

« Il pue ! Ne sais-tu pas à quelle espèce il appartient ?

– Je sais que c'est mon petit ange à moi ! déclare pauvre bûcheronne tout en reprenant l'enfant dans ses bras. Et ça deviendra le tien si tu le veux bien.

— Cela ne peut être ni mon, ni ton petit ange ! C'est un rejeton de la race maudite ! Ses parents l'ont jeté du train dans la neige car ce sont des sans-cœur !

— Non non non ! Ce sont les dieux du train qui m'en ont fait don !

— Tu déparles la vieille, une fois grand il sera comme eux, sans cœur !

— Pas si c'est nous qui l'élevons.

— Et comment le nourriras-tu ?

— Il est si petit, tout à l'heure je lui ai donné un doigt à suçoter et cela a suffi à calmer sa faim.

— Ne sais-tu pas qu'on n'a pas le droit sous peine de mort de cacher des sans-cœur ? Ils ont tué Dieu.

— Pas lui, pas lui ! Il est si petit.

— Ils ont tué Dieu et ce sont des voleurs.

— Dieu merci nous n'avons jamais eu, ici-bas, rien à voler. Et bientôt, si tu le veux bien, il m'aidera à fagoter au bois.

– S'ils le trouvent chez nous, ils nous colleront au mur.

– Qui le saura?

– Les autres bûcherons nous dénonceront aux chasseurs de sans-cœur.

– Non non, je dirai que cet enfant est mien, que je suis devenue enfin grosse de tes œuvres.

– Et que tu as mis bas sur le tard un lardon de quinze livres?

– Au début il ne sortira pas.

– Il ne peut être nôtre, il est marqué.

– Comment ça marqué?

– Ignores-tu que les sans-cœur sont marqués et que c'est ainsi qu'on les reconnaît?

– Comment ça?

– Leur nature n'est pas comme la nôtre.

– Je n'ai vu aucune marque. »

Pauvre bûcheron s'affaire à défaire le petit paquet dont il fait apparaître la nature toute nue.

« Vois, vois!

– Vois quoi ?

– La marque.

– Quelle marque ? interroge pauvre bûche-ronne tout en jetant un œil à son tour. Je ne vois pas de marque ?

– Vois, il n'est pas fait comme moi.

– Non, mais elle est faite comme moi. Vois comme elle est belle. »

Pauvre bûcheron détourne les yeux préci-pitamment, puis, après s'être gratté l'occiput sous son bonnet, referme le petit paquet qui repousse de ses petits poings fermés les mains qui l'assaillent.

« Que fais-tu ? s'inquiète pauvre bûche-ronne voyant pauvre bûcheron s'en saisir et gagner la porte. Où vas-tu ?

– Je vais le redéposer près de la voie ferrée. »

Pauvre bûcheronne se jette alors comme une furie et tente d'arracher son petit paquet à pauvre bûcheron. N'y parvenant pas, elle lui barre maintenant le passage tout en déclarant :

« Fais ça bûcheron et tu devras me jeter avec

elle sous les roues du train de marchandises et les dieux, tous les dieux, ceux des cieux, de la nature, du soleil et du train, te poursuivront où que tu ailles! Quoi que tu fasses! Tu seras maudit à jamais et pour toujours!»

Pauvre bûcheron, immobile, hésite un instant. Il rend à pauvre bûcheronne le «petit paquet» devenu «petite marchandise» puisque sa nature nous a été dévoilée et que cette nature est incontestablement féminine.

La petite marchandise, donc, passant ainsi de bras en bras, au milieu des cris et de la fureur, se met elle aussi à couiner subitement comme un millier de trompettes bouchées.

Pauvre bûcheron, qui ne semble pas être un très grand mélomane, se bouche aussitôt les oreilles en hurlant:

«Soit! Soit! Qu'il en soit ainsi et que tout le malheur qui surviendra soit ton malheur!»

Pauvre bûcheronne alors, serrant sa petite marchandise contre son cœur, dit:

«Elle fera mon bonheur et le tien.

– Merci! Garde tout le bonheur pour toi! Grand bien te fasse! Mais sache que je ne veux plus l'entendre, ni la voir, jamais! Va la mettre dans la remise au bois coupé! Fais-la taire et tiens-toi-le pour dit!»

Pauvre bûcheronne, tout en berçant sa petite marchandise, gagne la remise au bois coupé vide de planches et s'y installe avec l'enfant que les dieux lui ont donnée à chérir. Pauvre bûcheron entre sur ses talons et lui jette une peau d'ours piquée et rongée par les mulots.

«Tiens! Et va pas en plus te choper la crève!

– Moi les dieux me protègent», lui répond pauvre bûcheronne.

L'enfant pleure encore dans un demi-sommeil.

Pauvre bûcheron en ressortant ordonne:

«Fais-la taire! Sinon…»

Pauvre bûcheronne la berce encore, la serrant bien fort, en lui couvrant le front de petits baisers tout doux. Elles s'endorment ainsi toutes deux. Le silence s'installe, à peine troublé par les ronflements tragiques provenant du nez du pauvre bûcheron, et les soupirs d'aise s'élevant à l'unisson de la petite marchandise, don de Dieu, et ceux de sa nouvelle et aimante maman, toutes deux blotties sous la peau d'ours rongée par les mulots.

# 5

Le train de marchandises, désigné comme convoi 49 par la bureaucratie de la mort, parti de Bobigny-Gare, près de Drancy-Seine, le 2 mars 1943, arriva le 5 mars au matin au cœur de l'enfer, son terminus.

Après avoir déchargé sa cargaison d'ex-tailleurs pour hommes, dames et enfants, morts et vivants, accompagnés de leur famille, proche ou lointaine, ainsi que de leurs clients et fournisseurs, sans oublier, pour les croyants, de leurs ministres du culte, et pour les grabataires, vieillards, malades, impotents, de leur médecin personnel, le train, ex-convoi 49, pressé sans doute de devenir convoi 50 ou 51, redémarra immédiatement en sens inverse.

Pauvre bûcheronne ne le vit pas repasser à vide, absorbée qu'elle était dans sa nouvelle fonction de mère de famille.

Pas plus qu'elle ne vit passer le convoi 50 ni les suivants.

Après réception de la marchandise, il fut aussitôt procédé à son tri. Les experts trieurs, tous médecins diplômés, après examen, ne conservèrent que dix pour cent de la livraison. Une centaine de têtes sur mille. Le reste, le rebut, vieillards, hommes, femmes, enfants, infirmes, s'évapora après traitement en fin d'après-midi dans la profondeur infinie du ciel inhospitalier de Pologne.

C'est ainsi que Dinah, dite Diane sur ses papiers provisoires, et son tout nouveau livret de famille, et son enfant, Henri, frère jumeau de Rose, s'affranchirent de toute pesanteur en gagnant les limbes du paradis promis aux innocents.

## 6

Dans bien des contes, et nous sommes bien dans un conte, on trouve un bois. Et dans ce bois, un espace plus touffu qu'alentour, où l'on ne pénètre qu'avec difficulté, un espace sauvage et secret, protégé des intrus par sa végétation même. Un lieu retiré où ni homme, ni dieu, ni bête ne pénètre sans trembler. Dans le vaste bois où pauvre bûcheron et pauvre bûcheronne tentent de subsister, il existe un tel lieu, là où les arbres poussent plus dru et plus serré. Un endroit que la hache des bûcherons respecte et où on ne trouve aucun sentier tracé. Une forêt touffue dans laquelle on ne se glisse qu'en silence. Les enfants, bien sûr, n'ont pas le droit d'y aller. Et même leurs parents craignent d'y mettre le pied et de s'y égarer.

Pauvre bûcheronne connaît son bois comme sa poche – les châles dans lesquels elle s'enveloppe hiver comme été n'ont pas de poche, en auraient-ils qu'elle n'aurait, elle, rien à y mettre –, malgré tout, disons qu'elle connaît ce lieu réservé, pense-t-elle, aux fées et aux lutins ainsi qu'aux sorcières et à leurs loups-garous. Elle sait également qu'un être humain y vit seul, un être qui fait peur et horreur à tous et toutes, et que même les vert-de-gris et leurs misérables miliciens craignent de croiser. Un être que certains disent maléfique, tandis que d'autres le nomment l'ami des bêtes et l'ennemi des hommes. Elle-même l'a entraperçu certains jours alors qu'elle fagotait à la lisière de cette forêt où il semble régner en maître absolu et solitaire.

Elle sait également hélas, elle l'a compris au petit matin, que sa petite marchandise ne pourra survivre et prospérer sans lait.

Après le départ de pauvre bûcheron, elle s'est enroulée dans ses fichus et y a glissé sa petite marchandise, enveloppée, elle, dans son châle fourni par les dieux eux-mêmes, ce châle frangé d'or et d'argent et qui semble tissé par des mains de fée.

Ensuite elle a gagné cette partie du bois où nul ne s'aventure sans trembler ni remettre son âme à Dieu. En lisière elle trouve l'obscurité qui règne en permanence dans cette partie du bois. Elle guette. L'homme est-il là ? La voit-il ? Et la chèvre ? La chèvre est-elle encore de ce monde ? Donne-t-elle encore du lait ?

Avant de partir, elle a tenté de nourrir à nouveau sa petite marchandise chérie avec un reste de bouillie de kacha. Peine perdue. La kacha fut recrachée. Et maintenant, la petite tête froide de la petite marchandise dodeline sans force. Il lui faut du lait, pense-t-elle, du lait, du lait, sinon… Non non, impossible, les dieux ne lui en ont pas fait don pour la laisser mourir dans ses bras !

Pauvre bûcheronne pénètre dans l'obscurité, passant sous les branches basses, en invoquant les dieux du train, et de la nature, et des bois, et des chèvres. Elle implore même l'aide des fées, on ne sait jamais, et même les esprits malins qui ne sauraient sans déchoir s'acharner sur une innocente enfant. «Aidez-moi, aidez-moi tous», murmure-t-elle dans le fouillis des branchages qui craquent sous ses pas. Nul ici jamais ne vient fagoter. La neige même ne se dépose que rarement au sol. Elle fond au sommet des arbres et s'accumule sur les branches basses.

«Qui va là?»

Pauvre bûcheronne s'immobilise.

«Une pauvre bûcheronne», répond-elle d'une voix tremblante.

La voix reprend:

«Que la pauvre bûcheronne ne fasse plus un pas!»

Elle s'immobilise. La voix reprend:

«Que veut la pauvre bûcheronne?

– Du lait pour son enfant!

– Du lait pour son enfant?»

On entend alors comme un rire sinistre.

Puis, après quelques grattements de bottes sur le bois pourri, paraît un homme coiffé d'une chapka et armé d'un fusil.

«Pourquoi ne lui donnes-tu pas du tien?

– Je n'ai pas de lait, hélas. Et si cette enfant que tu vois – elle sort l'enfant de sous son châle – n'a pas de lait aujourd'hui, elle mourra.

– Ta fille mourra? La belle affaire! Tu en feras une autre.

– Je n'ai plus l'âge. Et puis cette enfant m'a été confiée par le dieu du train de marchandises qui passe et repasse sur la voie ferrée.

– Que ne t'a-t-il donné du lait avec!»

Il laisse échapper de nouveau une sorte de rire amer à glacer les os.

La bûcheronne répond, craintive mais décidée:

«Il a oublié. Les dieux ne peuvent penser à tout, ils ont tant à faire ici-bas.

— Et ils le font si mal!» conclut l'homme.

Puis après un silence il l'interroge encore:

«Dis-moi, pauvre bûcheronne, d'où veux-tu que je te tire du lait?

— Du pis de ta chèvre.

— Ma chèvre? Comment sais-tu que j'en ai une?

— Je l'ai entendue bêler en fagotant à la lisière de ton domaine.»

Il rit encore, puis, sérieux, se reprend et demande:

«Que me donneras-tu en échange de mon lait?

— Tout ce que j'ai!

— Et tu as quoi?

— Rien.

— C'est peu.

— Tous les jours que les dieux feront, je viendrai, hiver comme été, t'apporter un fagot contre deux gorgées de lait.

— Tu veux me payer mon lait avec mon bois?

– Ça n'est pas ton bois.

– Ça n'est pas le tien non plus.

– Pas plus que ton lait n'est ton lait !

– Comment ça ?

– C'est le lait de ta chèvre.

– Mais cette chèvre est mienne. Rien dans la vie ne se donne sans contrepartie.

– Sans lait ma fille va mourir, sans contre-partie.

– Tant de gens meurent !

– Ce sont les dieux qui me l'ont confiée, si tu m'aides à la nourrir elle vivra, ils t'en seront reconnaissants et ils te protégeront.

– Ils m'ont déjà assez protégé comme ça. »

Il arrache sa chapka et découvre un front cabossé, une tempe écrasée et une oreille manquante.

« Désormais je me passe de leur protection et me protège tout seul.

– Ils t'ont gardé en vie cependant, et ta chèvre aussi.

– Grand merci.

– Je t'amènerai deux fagots chaque jour
pour une seule gorgée de lait.

– On voit que tu t'y connais en affaires!»
Il rit encore.

«Les dieux ne t'ont-ils pas donné avec la
fillette quelque objet précieux?»

Notre pauvre bûcheronne, désolée, va pour
lâcher «hélas non», quand soudain son visage
s'éclaire. Elle libère sa petite marchandise
du châle de prière et le tend à l'homme à la
chèvre qui le prend avec dédain.

«C'est un châle divin, vois comme il est
fin.»

L'homme se le passe autour du cou.

«Regarde comme il est beau! À coup sûr
ce sont des doigts de fée qui l'ont tissé et
brodé d'or et d'argent.»

La petite marchandise pleure doucement.
Les grands cris sont passés, elle n'a plus de
vigueur.

L'homme à la chèvre et à la gueule cassée
examine l'enfant puis conclut:

« Cette créature divine a faim, comme un vulgaire enfant d'humain. Je vais te donner une mesurette de lait de ma chèvre. Ce qu'il te faudrait, c'est du lait d'ânesse, mais je n'en ai point, alors ce lait de chèvre que je vais te donner pendant trois mois tous les matins, tu le couperas d'eau bouillie, à proportion de deux mesures d'eau pour une mesure de lait, et tu compléteras sa nourriture avec de la bouillie, et puis des fruits et légumes frais au printemps. »

Il lui rend l'enfant. Elle la prend avec amour, puis se jette aux genoux de l'homme et tente de lui embrasser la main. Celui-ci recule.

« Relève-toi ! »

Pauvre bûcheronne laisse couler ses larmes.

« Tu es bon, tu es bon, murmure-t-elle.

– Non non non non, nous avons conclu un marché. J'attends tes fagots dès demain.

– Qui t'a cassé la tête, homme de bien ?

– La guerre.

– Celle-ci ?

– Une autre, qu'importe.

Ne t'agenouille plus jamais devant moi, ni devant quiconque, ne dis plus jamais que je suis bon, et ne va pas répandre le bruit que j'ai une chèvre et que je donne du lait. Viens, je vais te donner ce qui te revient. »

Ainsi fut fait.

Tous les matins la pauvre bûcheronne déposa son fagot et ramassa en retour un gorgeton de lait chaud.

Et c'est ainsi que la pauvre petite marchandise misérable et si précieuse, grâce à l'homme des bois et à sa chèvre, subsista et survécut. Cependant elle n'était jamais rassasiée et la faim la travaillait sans cesse. Elle suçait tout ce qui lui tombait sous la bouche et, redevenue vigoureuse, elle hurlait sans retenue.

# 7

Sans ciseaux, armé d'une simple tondeuse, le père des jumeaux, le mari de Dinah, notre héros, après avoir vomi son cœur et ravalé ses larmes, se mit à tondre et à tondre des milliers de crânes, livrés par des trains de marchandises venant de tous les pays occupés par les bourreaux dévoreurs d'étoilés.

Ces crânes, cette tondeuse, la pensée secrète aussi que peut-être, peut-être… firent de lui, malgré lui, momentanément un survivant.

# 8

À la nuit tombée, lorsque pauvre bûcheron rentrait, traînant ses membres endoloris et sa carcasse brisée par sa journée de labeur d'intérêt général, il ne voulait ni voir, ni encore moins entendre la petite jumelle solitaire. Pauvre bûcheronne tentait donc de l'endormir avant son retour. Mais il arrivait que la petite grogne encore ou s'agite dans son sommeil. Parfois même, taraudée par la faim, elle se réveillait en pleurant, ou en hurlant soudain de peur comme si tous les loups de la terre s'étaient donné rendez-vous pour se jeter ensemble à ses trousses au plus profond de son sommeil.

Pauvre bûcheron tapait alors de son gros poing sur la table tout en grommelant dans sa barbe d'une voix rendue haineuse par l'alcool de bois qu'il consommait avec ses camarades de travail : « Je ne veux ni voir ni entendre ce suppôt du diable ! Cette sans-cœur de malheur ! Fais-la taire ou par le ciel je te la saisis et te la jette aux pourceaux ! »

Fort heureusement, se disait la pauvre bûcheronne, il n'y a plus de pourceaux aux alentours, les traqueurs de sans-cœur et de boustifaille les ayant déjà tous réquisitionnés puis bouffés. Fort heureusement également, pauvre bûcheron, épuisé comme il l'était, ne tardait guère à dodeliner du bonnet avant de s'effondrer tête sur la table, et de s'endormir ainsi du sommeil des injustes.

## 9

Une certaine nuit cependant, la petite marchandise s'agita plus que de coutume, réveillant pauvre bûcheron dans son premier sommeil. Celui-ci alors, dans sa grande ire, en vint à vouloir porter la main sur elle. Pauvre bûcheronne saisit alors au vol la grosse paluche calleuse de son pauvre bûcheron de mari, la retint un instant en suspens, avant de la poser délicatement, bien à plat, sur la poitrine toute secouée de sanglots de sa chère petite marchandise. Pauvre bûcheron, effleurant ainsi de sa paume malgré lui cette peau si douce et si blanche, tenta d'arracher sa main de l'étreinte de la pauvre bûcheronne, mais celle-ci, de ses deux mains réunies, la tenait fermement plaquée sur la cage thoracique de la fillette, tout en murmurant à l'oreille de pauvre bûcheron, qui ne cessait lui de hurler qu'il ne voulait plus de cette créature du diable, de cette sans-cœur de malheur, pauvre bûcheronne, toujours pesant sur la main du pauvre bûcheron, murmura délicatement :

« Sens-tu ? Sens-tu ? Sens-tu le petit cœur qui bat ? Le sens-tu ? Le sens-tu ? Il bat, il bat. »

« Non non ! » clamait le bonnet du bûcheron s'agitant en tous sens. « Non non ! » hurlait sa barbe broussailleuse. « Non non ! »

La bûcheronne, toujours chuchotante, poursuivait :

« Les sans-cœur ont un cœur. Les sans-cœur ont un cœur comme toi et moi.

– Non non !

– Petits et grands, les sans-cœur ont un cœur qui bat dans leur poitrine. »

Pauvre bûcheron dégagea soudain sa main d'un coup d'épaule tout en secouant toujours sa tête et en crachant maintenant entre ses dents, répétant les tristes slogans de ces jours si sombres : « Les sans-cœur n'ont pas de cœur! Les sans-cœur n'ont pas de cœur! Ce sont des chiens errants qu'il faut chasser à coups de hache! Les sans-cœur jettent leurs enfants par les lucarnes des trains et c'est nous, pauvres couillons, qui sommes obligés de les nourrir! »

Il crachait ainsi sa bile la plus noire tout en éprouvant lui-même un trouble, une chaleur, une douceur nouvelle que le bref contact de sa paume avec la peau et le cœur de la petite marchandise avait fait naître jusque dans son propre cœur à lui qu'il sentait battre, désormais, dans sa propre poitrine. Oui, son cœur battait comme en écho avec le petit cœur de la petite marchandise qui se calma enfin, dans les bras de la bûcheronne, et qui tendait maintenant ses petits bras en direction de pauvre bûcheron.

Celui-ci recula, effrayé. Quand la pauvre

bûcheronne tendit à son tour l'enfant vers lui, il recula encore, comme frappé en pleine poitrine, tout en répétant machinalement qu'il ne voulait plus voir, ni nourrir cette chose, et tout en refoulant, au plus profond de l'obscurité de sa carcasse, l'envie de répondre à ces bras tendus, offerts, en se saisissant de l'enfant pour la presser contre son visage, contre sa barbe.

Il reprit pied enfin, en même temps que ses esprits, et reprit également l'offensive, menaçant la pauvre bûcheronne d'avoir demain à choisir entre lui, honnête bûcheron son mari, et ce résidu de fausse couche tueur de Dieu qu'elle tenait dans ses bras. Et avant que pauvre bûcheronne eût pu lui répliquer, il s'écroula sur sa couche, et s'endormit cette fois du sommeil du presque juste.

# 10

Le lendemain, où qu'il posât sa main, ce fut le cœur de la petite marchandise qu'il sentit battre sous sa paume. Désormais, dans le secret de son cœur noyé dans une douceur inconnue, il nommait lui aussi la petite sans-cœur sa petite marchandise à lui. Et lorsque, par grand et rare hasard, il se trouvait en tête à tête avec elle, il tendait vers elle un doigt hésitant qu'aussitôt la petite agrippait et ne voulait plus lâcher. Il éprouvait alors une joyeuse et bienfaisante douceur.

Un jour même, la petite, se traînant à quatre pattes sur le sol de la hutte, s'accrocha au bas de son pantalon, et ainsi, s'aidant de ses deux mains, elle se redressa en se cramponnant à un de ses genoux rapiécés. Pauvre bûcheron ne put réprimer un cri : « Oh la vieille ! Viens ! Viens voir ! Viens voir ! » La petite maintenant ne se tenait plus que d'une main, chancelante, cherchant son équilibre. Pauvre bûcheron exultait : « Tu la vois ? Tu la vois ? » Pauvre bûcheronne s'extasia puis applaudit. La petite tentant d'applaudir à son tour lâcha le pantalon, et se retrouva sur le cul, au sol, dans un grand éclat de rire. Pauvre bûcheron, cul par-dessus tête, arracha l'enfant du sol et la brandit comme un trophée de victoire, hurlant de joie et s'exclamant : « Alléluia ! »

Les jours suivants, pauvre bûcheron tout comme pauvre bûcheronne ne ressentirent plus le poids des temps, ni la faim, ni la misère, ni la tristesse de leur condition. Le monde leur parut léger et sûr malgré la guerre, ou grâce à elle, grâce à cette guerre qui leur avait fait don de la plus précieuse des marchandises.

Ils partagèrent tous trois un plein fagot de bonheur, orné de quelques fleurs que le printemps leur offrait pour éclairer leur intérieur.

## 11

La joie, le bonheur aidant, pauvre bûcheron travailla avec plus d'entrain, plus de force, ses camarades l'apprécièrent davantage et malgré son mutisme le convièrent encore plus souvent à leurs libations d'après boulot. L'un d'entre eux, plus entreprenant, s'était improvisé producteur d'alcool de bois fait maison. Il leur fournissait la boisson. J'ignore la recette de cet alcool de bois fait maison, mais même si je la connaissais, je ne vous la livrerais pas. Sachez simplement qu'il est déconseillé d'en consommer et que cet alcool de bois, à haute dose, peut rendre aveugle. « Qu'importe, à la guerre comme à la guerre, et pour ce qu'il y a à voir!» avait décrété le distillateur amateur. Les camarades étaient braves et soiffards. Ils levaient le coude après leur journée de travail, les camarades n'ayant pas chez eux une petite marchandise, don du train et des cieux, capable de leur faire aimer la vie, fût-elle la leur.

Après le travail – gloup gloup gloup – certains soirs, pauvre bûcheron consentait à lever le coude avec ses collègues, retardant ainsi le plaisir de rentrer près de sa petite marchandise adorée. Il faisait ainsi partager sa bonne humeur nouvelle à ses compagnons d'infortune – gloup gloup gloup – et on portait un toast, puis un autre. À quoi? À qui? L'un d'entre eux proposa de boire à la fin prochaine de cette guerre maudite – gloup gloup gloup – Ils burent ensuite à la fin des sans-cœur maudits – gloup gloup gloup – Un camarade à propos des sans-cœur déclara alors que le train qui passait plein et qu'on voyait repasser vide transportait on ne sait où des sans-cœur venus des sept coins du monde. Un autre renchérit : « Pendant que nous on se crève le cul et la paillasse pour des salaires de misère, les sans-cœur, eux, sont baladés gratos en trains spéciaux ! »

Un troisième précisa enfin : « Les sans-cœur ont tué Dieu et ont voulu cette guerre ! Ils ne méritent pas de vivre et leur guerre maudite ne finira que lorsque la terre se sera enfin débarrassée d'eux à jamais ! » – gloup gloup gloup – « À leur disparition ! » – gloup gloup gloup – « À mort les sans-cœur ! » conclurent-ils en chœur.

Pas tout à fait en chœur…

Pauvre bûcheron, notre pauvre bûcheron – tous étaient bûcherons et pauvres –, le nôtre, donc, avait bu mais s'était tu. Les camarades se tournèrent alors vers lui comme un seul homme, attendant d'entendre sa parole. Ils n'eurent pas longtemps à attendre – gloup gloup gloup –, pauvre bûcheron s'essuya la bouche d'un revers de poignet, puis dans le silence, il s'entendit dire et se surprit lui-même :

« Les sans-cœur ont un cœur.

– Quoi quoi quoi ? Qu'est-ce qu'il dit ? Qu'est-ce qu'il veut dire ? »

Pauvre bûcheron, alors, se surprit encore à proférer, d'une voix assourdissante cette fois, d'une voix qu'il n'avait jamais sentie sortir de sa propre gorge, pauvre bûcheron, dis-je, après avoir jeté son gobelet de fer sur la table branlante qui s'écroula, reprit : « Les sans-cœur ont un cœur ! »

Puis il partit d'un bon pas, zigzagant cependant, vers sa hutte, son chez-soi, sa hache sur l'épaule, effrayé soudain d'avoir ainsi crié sa vérité, la vérité : les sans-cœur ont un cœur. Effrayé et en même temps soulagé et fier, fier d'avoir crié à la face des autres, de s'être libéré, d'avoir fini soudain toute une vie de soumission et de mutisme. Il marchait vers sa bûcheronne bien-aimée et vers la prunelle de ses yeux que l'alcool de bois n'avait pas réussi à détruire ce soir-là. Il marchait vers sa petite marchandise dont les dieux, ou on ne sait qui d'autre, lui avaient fait don. Il marchait. Il sentit alors son cœur battre et battre, puis il se surprit à chanter, à chanter en marchant une chanson qu'il n'avait jamais chantée, ni celle-là ni une autre d'ailleurs. Il marchait et il chantait, ivre de liberté et d'amour.

Les camarades, consternés, constatèrent : « Il tient plus du tout l'alcool ! Il est bourré ! Il débloque ! – gloup gloup gloup – Il ira mieux demain à la fraîche. » Et ils se mirent à chanter eux aussi des chansons que leurs maîtres, les chasseurs de sans-cœur, leurs envahisseurs, leur avaient apprises, des chansons qui disaient ceci :

« Nous planterons nos couteaux dans les poitrines vides des sans-cœur jusqu'à ce qu'il n'en reste aucun et qu'ils nous aient rendu tout ce qu'ils nous ont volé – gloup gloup gloup – Que crèvent les sans-cœur ! – gloup gloup gloup. »

Le fabricant d'alcool de bois, tout en chantant, songeait qu'autrefois, avant guerre, les autorités locales offraient une prime à chaque tête de bête nuisible qu'on ramenait en mairie – gloup gloup gloup.

## 12

Les jours, les mois passèrent. Le faux coiffeur, le père des ex-jumeaux, tondait, tondait et tondait. Puis ramassait les cheveux, les blonds, les bruns, les roux, et il en faisait des ballots. Ballots qui rejoignaient d'autres ballots, d'autres milliers de ballots, faits d'autres cheveux. Les blonds, les plus recherchés, les bruns, et même les roux. Que faisait-on des cheveux blancs ? Tous ces cheveux en partance vers le pays des généreux conquérants afin d'y devenir perruques, parures, tissus d'ameublement ou simples serpillières.

Le père des ex-jumeaux souhaitait mourir, mais tout au fond de lui poussait une petite graine insensée, sauvage, résistant à toutes les horreurs vues et subies, une petite graine qui poussait et poussait, lui ordonnant de vivre, ou tout au moins de survivre. Survivre. Cette petite graine d'espoir, indestructible, il s'en moquait, la méprisait, la noyait sous des flots d'amertume, et pourtant elle ne cessait de croître, malgré le présent, malgré le passé, malgré le souvenir de l'acte insensé qui lui avait valu que sa chère et tendre ne lui jette plus un regard, ne lui adresse plus une seule parole avant qu'ils ne se quittent sur ce quai de gare sans gare à la descente de ce train des horreurs. Il n'avait même pas pu tenir serré contre sa poitrine, ne fût-ce qu'une seconde, son jumeau restant avant qu'ils ne se quittent pour toujours et à jamais. Il en aurait pleuré encore, s'il avait eu dans ses yeux quelques larmes de reste.

## 13

Les jours, les mois passèrent, et petite marchandise, un de ces jours plus heureux que d'autres, se tint soudain bien droite et fit ses premiers pas. Depuis, elle trottait devant ou derrière pauvre bûcheronne et le soir elle courait au-devant de pauvre bûcheron. Et quand celui-ci la hissait jusqu'à son visage, jusqu'à sa barbe, elle tentait de lui ôter son bonnet, ou de lui tirer les poils, ou, bonheur suprême, d'attraper à pleines mains son gros nez. Pauvre bûcheron en était tout bouleversifié. Il tendait alors la petite marchandise à pauvre bûcheronne et se mouchait bien fort avant d'essuyer ses yeux humides. Un de ces jours, encore plus beau, la petite fonça sur pauvre bûcheron, bras tendus, en criant : « Papa ! Papa ! » dans cette langue bizarre qu'on parlait dans ce pays lointain. Papa se disait *papouch*, maman *mamouch*.

« Papouch ! Mamouch ! »

Ils se serraient alors tous trois dans un même enlacement qui finissait par des rires et même par une chanson qui parlait de père, de mère, d'enfant perdu et retrouvé.

## 14

Un jour que pauvre bûcheronne et petite marchandise revenaient toutes deux de fagoter, elles croisèrent dans le sous-bois le distillateur d'alcool de bois et accessoirement collègue et même camarade de pauvre bûcheron. Le distillateur, découvrant la petite, s'informa poliment : « D'où sort cette enfant ? » Pauvre bûcheronne répondit qu'elle était sienne. Le distillateur fixa alors la petite marchandise longuement, comme s'il voulait la soupeser. Puis il fixa pauvre bûcheronne avant de lui sourire et de la quitter, non sans avoir soulevé son chapeau de taupe, tout en déclarant d'une voix enjouée : « Bonjour à vous ! »

# 15

Ce matin-là, peu avant l'aube, le camarade au chapeau de taupe, accompagné de deux miliciens encombrés de fusils datant d'une précédente guerre mondiale, ou plus sûrement de l'époque de l'invention de la poudre par les Chinois, tous trois donc vinrent prendre livraison de la petite marchandise. Pauvre bûcheron les accueillit sur le pas de la porte. D'abord il nia. Il dit que c'était sa fille. L'un des miliciens demanda pourquoi il n'avait pas déclaré sa naissance en mairie. Il répondit qu'il n'aimait pas remplir des papiers, et qu'elle avait grandi ainsi, sans papiers. Enfin il accepta, sous peine de mort – la loi c'est la loi camarade –, il accepta, dis-je, mais il demanda, comme une faveur spéciale, de remettre l'enfant à son camarade de travail, afin de faire ça en douceur, afin de ne pas effrayer avec des fusils ni la petite, ni surtout son épouse. Il fit passer le camarade devant lui en prévenant sa pauvre bûcheronne d'une voix haute :

« C'est le camarade de chantier ! Prépare la petite ! Et sers à boire aux camarades ! »

La bûcheronne surgit, elle portait l'enfant qui aussitôt tendit ses bras vers le bûcheron. Celui-ci alors saisit sa hache et en frappa le camarade distillateur tout en criant à sa bûcheronne :

« Sauve-toi ! Emporte la petite ! »

Puis il redonna un coup sur la taupe qui ornait le crâne de son camarade de travail. Il sortit enfin de la cabane, la tête haute, et attaqua l'un des miliciens. Il l'abattit comme une bûche pourrie. L'autre alors, reculant, trébucha, tira en l'air puis visa le bûcheron qui, hache levée, s'avançait vers lui. Pauvre bûcheronne alors sortit en courant tandis que le bûcheron hurlait en s'affalant :

« Cours ma belle ! Cours ! Sauvez-vous ! Sauvez-vous ! Que Dieu fasse crever tous les maudits sans âme ni foi !

Que vive notre… et il murmura… petite marchandise ! »

## 16

Cours cours cours pauvre bûcheronne! Cours et serre contre ton cœur ta si fragile marchandise! Cours sans te retourner! Non non, ne cherche pas à revoir pauvre bûcheron gisant dans son sang, ni les trois larves par sa hache fendues comme bois pourri. Non non, ne cherche pas des yeux ton ex-logis de rondins assemblés par les mains de ton pauvre bûcheron. Oublie cette cabane où vous avez partagé tous trois ce si fugitif bonheur. Cours cours cours et cours encore!

Courir? Vers où? Où courir? Où se cacher?

Cours sans réfléchir! Va va va! Droit devant toi. Non non non, ne pleure pas, ne pleure pas, il n'est pas temps de pleurer.

Dans la poitrine de pauvre bûcheronne, là où repose, bercée par la course, sa petite marchandise tant aimée, là, dans sa poitrine haletante, son cœur cogne cogne et cogne, puis soudain se tord. La douleur lui coupe les jambes, arrache son souffle. Elle sait, elle sent que les chasseurs de sans-cœur sont déjà à ses trousses pour lui arracher sa petite marchandise chérie.

Elle veut s'arrêter, glisser au sol, s'y répandre, disparaître dans les fougères, se dissoudre dans l'herbe haute en serrant de plus en plus fort sa petite tant aimée. Mais à ses pieds les renardeaux veillent. Ils courent, ils courent, ils courent, ils ont l'habitude, eux, de poursuivre et d'être poursuivis. Ils courent, ils s'arrachent du sol, ils courent sans peur et sans reproche. Vers où ? Vers où courent-ils ? N'ayez crainte, ils savent s'y rendre, ils connaissent le chemin, le chemin du salut.

Et soudain voici pauvre bûcheronne et sa si précieuse petite marchandise en lisière de cette partie du bois si touffue que nul ne sait comment y pénétrer. Les renardeaux, eux, ne ralentissent même pas l'allure, ils s'y jettent, ils bondissent d'une racine à l'autre, se heurtant aux branches basses, trébuchant sur les débris de bois mort qui jonchent le sol.

Une voix, une voix alors, une voix connue, à la fois crainte et souhaitée, retentit :

« Qui va là ?

— Pauvre bûcheronne, crie-t-elle, tandis que les renardeaux courent toujours.

— Que veut pauvre bûcheronne ?

— Asile ! Asile pour moi et ma… dont les dieux m'ont fait don. »

La voix reprend :

« J'ai entendu des coups de feu, t'étaient-ils destinés ?

— Ils voulaient… ils voulaient… ils voulaient me la…

— Avance ! Marche sans crainte !

— Ils voulaient… » Pauvre bûcheronne est hors d'haleine. Sa voix la fuit, ses jambes se brisent. Les renardeaux eux-mêmes s'immobilisent, vaincus par les racines, les ronces et la fatigue.

Pauvre bûcheronne voudrait tout dire à l'homme au fusil à la chèvre et à la tête cassée, tout, des craintes, des sans-cœur, de la hache aussi. Elle reprend avec difficulté :

« Ils voulaient… ils voulaient… alors pauvre bûcheron avec sa hache les a… les a… »

L'homme apparaît.

« N'en dis pas plus, je connais la noirceur du cœur des hommes, ton bûcheron et sa hache ont bien travaillé. Et si tes tourmenteurs le justifient, je saurai à mon tour bien travailler. »

Il fait glisser alors son fusil d'une épaule à l'autre puis tend les bras.

« Confie-moi ta petite marchandise et suis-moi. »

Pauvre bûcheronne lui tend alors l'enfant que l'homme au fusil à la chèvre et à la tête cassée reçoit avec douceur et dignité comme il sied aux porteurs d'objets sacrés.

Ils avancent tous trois en silence. Le bois touffu s'éclaircit et bientôt apparaît un jardin que pauvre bûcheronne n'avait jamais vu. Elle prenait livraison de son lait quotidien en lisière du bois, là où elle déposait son fagot.

En cette fin de printemps, en ce début d'été, les fruits sur les arbres semblent se tendre vers l'enfant. Les fleurs se dressent et s'offrent elles aussi à la cueillette, comme pour consoler pauvre bûcheronne et sa fillette. Les dieux font bien les choses de ce côté-ci du bois, pense-t-elle, oui, les dieux font bien les choses quand ils y pensent et quand ils le veulent.

L'homme, toujours portant l'enfant, s'approche d'une cabane, une cabane de rondins elle aussi, dressée à côté d'un rocher. Il ne pénètre pas dans la cabane, il se dirige droit à la roche et se glisse dans une sorte de grotte où une chèvre minuscule, aux pis lourds cependant, lui fait fête dans sa joie de recevoir ainsi un peu de visite.

L'homme au fusil et à la tête cassée dépose alors l'enfant face à la chèvre. Elles sont de même hauteur. L'homme fait ainsi les présentations : « Fille des dieux, voilà ta mère nourricière, ta troisième maman. »

L'enfant, ravie, enlace la chèvre, celle-ci s'abandonne dans ses bras, les yeux perdus, là où vont se perdre les yeux des chèvres. Puis toutes deux joignent leurs fronts et restent ainsi, la chèvre et la fillette, yeux dans les yeux, front contre front, tandis que sanglote pauvre bûcheronne et que murmure l'homme au fusil à la chèvre et à la tête cassée : « Pourquoi pleures-tu, pauvre bûcheronne, tu auras désormais pour elle du lait à volonté que tu n'auras même plus à venir chercher. Certes, j'y perds un fagot, mais j'y gagne une camarade de jeux pour ma chèvre solitaire, ainsi nous sommes gagnants tous quatre. Nul ne peut rien gagner en ce bas monde sans consentir à y perdre un petit quelque chose, fût-ce la vie d'un être cher, ou la sienne propre. »

## 17

Les jours succédèrent aux jours, les trains aux trains. Dans leurs wagons plombés, agonisait l'humanité. Et l'humanité faisait semblant de l'ignorer. Les trains provenant de toutes les capitales du continent conquis passaient et repassaient, mais pauvre bûcheronne ne les voyait plus.

Ils passèrent et repassèrent, nuit et jour, jour et nuit, dans l'indifférence générale. Nul n'entendit les cris des convoyés, les sanglots des mères se mêlant aux râles des vieillards, aux prières des crédules, aux gémissements et aux cris de terreur des enfants séparés de leurs parents déjà livrés au gaz.

# 18

Et puis, et puis, les trains cessèrent de rouler. Ne roulant plus, ils cessèrent de livrer leur si misérable cargaison de crânes à raser. Plus de trains, plus de crânes. Cependant que notre héros, ex-père de jumeaux, ex-mari de son épouse bien-aimée, devenu soudain ex-raseur des crânes, s'effondra, vaincu par la faim, la maladie et le désespoir. Autour de lui les rares survivants encore conscients murmuraient : « Il faut tenir, tenir, tenir, et tenir encore, ça va bien finir par finir, déjà on entend les canonnades au loin. » Un camarade lui glissa même dans le tuyau de l'oreille : « Les rouges arrivent, les têtes de mort vont finir par chier dans leurs bottes. »

En attendant, lesdites têtes de mort leur faisaient creuser des fosses à même la neige afin d'y faire brûler le trop-plein des cadavres amoncelés au pied des crématoires qu'ils devaient également détruire d'urgence afin d'éliminer avec les derniers témoins les traces de leur crime immense. Les cheveux, si précieux hier, n'étaient plus récoltés. Pire, les cheveux emballés, déjà prêts à l'usage, n'étaient plus expédiés. Ils s'entassaient, abandonnés, près d'une montagne de lunettes, coincés entre des monceaux de vêtements, homme, dame et enfant. Eux aussi devaient disparaître.

Tenir, tenir, tenir, ça va bien finir par finir. Lui aussi désormais voulait disparaître, en finir, en finir, en finir. De jour comme de nuit, il délirait. Il délirait en piétinant la neige, il délirait en creusant, il se remémorait, pire, il revivait l'instant fatal, l'instant où il avait arraché des bras de son épouse l'un de leurs jumeaux, il revivait sans cesse l'instant où il l'avait précipité du train dans la neige. Cette neige qu'il piétinait et piétinait tout en creusant son propre trou pour s'y faire enfin brûler à son tour. Pourquoi, pourquoi, pourquoi ce geste fatal, insensé? Pourquoi n'avoir pas accompagné son épouse et leurs deux enfants jusqu'au bout, jusqu'au but du voyage? S'élever ensemble, tous les quatre, ensemble, s'élever dans les cieux, en volutes de fumée, de fumée épaisse et sombre. Il s'effondra soudain. Deux camarades, au risque de leur propre survie, le traînèrent dans une baraque proche afin de lui éviter d'être jeté à demi vivant dans les flammes.

Quand il reprit connaissance, il se sentit bien dans cette baraque, parmi les corps amoncelés. Il trouva le lieu propice à y espérer la mort, la délivrance, enfin.

## 19

La mort ne vint pas et la délivrance se présenta à lui sous l'apparence d'un jeune soldat étoilé de rouge dont les yeux exorbités témoignaient de l'horreur qu'il venait de découvrir. Après avoir constaté que le cadavre qui le dévisageait vivait encore, le jeune soldat étoilé lui glissa le goulot de sa gourde dans la bouche et quelques biscuits dans les mains, puis il le prit dans ses bras, l'arrachant au tas de mourants, et le déposa devant la baraque, sur un bout de terrain sans cadavres, sous le soleil du printemps renaissant.

Là même où hier encore régnaient la neige, les bottes et les cravaches des casquettes à têtes de mort, l'herbe repoussait grasse et touffue, parsemée d'une multitude de fleurettes blanches. C'est alors qu'il entendit un oiseau chanter à tue-tête l'hymne du retour à la vie. Et c'est alors que des larmes jaillirent de ses yeux devenus aussi secs, pensait-il, que son cœur. Ces larmes lui rappelèrent qu'il était redevenu un vivant.

Comment trouva-t-il la force de se dresser, puis de marcher, et de marcher, et de marcher encore? Le chant du rossignol suffit-il pour que naisse l'idée que sa fille, sa si petite fille inconnue et chérie avait pu survivre, peut-être, elle aussi? Et que si elle avait survécu, il se devait désormais, il en avait le devoir, de tout faire, de tout faire pour la retrouver.

Il se mit donc en marche, suivant les rouges qui avançaient droit devant eux. Il tomba d'inanition près d'une église. Un prêtre le releva, le nourrit, pria pour lui, et il repartit, marchant, marchant toujours.

Il arriva enfin près d'un camp dit de

regroupement, peuplé de réfugiés et autres personnes déplacées fuyant les rouges, mais rattrapées par leur avance fulgurante. Son aspect spectral orné de son numéro tatoué sur son avant-bras lui servit de passeport. Il y fut logé et nourri, mais une fois installé, il revécut l'instant fatal, le train, la neige, le bois, le châle, la vieille, l'espoir aussi. Et surtout, surtout le regard de son épouse se détournant de lui à jamais et pour toujours. Pourquoi, pourquoi n'avait-il pas laissé le sort commun les détruire tous les quatre ensemble, ensemble ?

Pauvre bûcheronne ne s'aperçut pas que les trains de marchandises ne traversaient plus son bois, trop captivée par le spectacle de sa petite marchandise à elle qui grandissait et prospérait à vue d'œil. La petite ne cessait de rire, de chanter, de gazouiller et de danser avec sa chèvre devenue plus que sa sœur, sous l'œil bienveillant de l'homme au fusil et à la tête cassée.

Pauvre bûcheronne ne se souvenait pas avoir vécu tant de bonheur tout le long, le long de sa vie. L'homme au fusil, lui, guettait, l'oreille tendue vers l'Est. Il savait que les rouges avançaient. Il se réjouissait tout en les craignant. Il les craignait comme il avait craint les vert-de-gris à têtes de mort ainsi que leurs valets et autres collaborateurs. Une fois par semaine, il se rendait dans l'un des villages proches de sa forêt afin d'y troquer ses fromages de chèvre contre des produits de première nécessité. Là on ne parlait que de la fin prochaine de cette guerre affreuse, avec espoir, ou regret. Bientôt les avions étoilés de rouge bombardèrent les positions des vert-de gris, puis la canonnade prit le relais. Les chasseurs de sans-cœur désormais se terraient ou fuyaient vers l'Ouest.

Fusil en main, l'homme à la tête cassée arpentait son fief sur le flanc est de son domaine, bien décidé à faire respecter ses droits de propriété aux nouveaux envahisseurs. Deux soldats rouges se glissèrent avec précaution dans le bois. Apercevant un homme armé d'un fusil, ils le couchèrent au sol d'une rafale de mitraillette. Puis, avec précaution, l'un des soldats s'en approcha, retourna le corps du pied, puis constatant que le visage de l'homme n'avait rien d'attrayant, il adressa une grimace de dégoût à son compagnon en concluant d'une voix méprisante : « Un vieux, moche. » Constatant également que l'homme à terre était seul, ils repartirent, rejoignant le gros de la troupe des étoilés de rouge qui préférèrent contourner le bois plutôt que de s'y engager.

Le lendemain matin, après une nuit d'angoisse, pauvre bûcheronne découvrit le corps gisant de l'homme à la tête cassée et au cœur compatissant. Elle pleura beaucoup, ce qui fit pleurer sa petite marchandise. Et même la chèvre aux yeux tendres pleurait. Renonçant à l'ensevelir, elle recouvrit sa dépouille de branchages fleuris, puis pauvre bûcheronne improvisa une prière sous forme d'un remerciement et d'un souhait : qu'enfin cet homme si bon trouve la paix et le bonheur qui lui furent refusés sur cette terre, qu'il les trouve là où les dieux l'accueilleront. Elle eut une pensée pour les dieux du train mais ne la formula pas, elle n'avait plus confiance en eux.

Elle savait que si l'enfant, son enfant avait survécu, ce n'était pas grâce à eux, c'était grâce à la main la lâchant du train sur la neige, grâce à la bonté de l'homme au fusil et à sa chèvre. « Bénissez-les », conclut-elle.

Elle ramassa les quelques hardes, enveloppa les fromages fraîchement fabriqués et les ustensiles pour les faire dans le châle de prière, puis, sa fillette à la main, sa chèvre tenue en laisse, chargée comme un baudet, elle se mit en marche. Ne sachant où aller, elle se mit à marcher droit devant elle, vers l'est, là où, dit-on, le soleil continue de se lever.

Sur la route elle croisa des centaines de tanks et des camions étoilés de rouge. Elle traversa des villages en ruine, et, s'arrêtant enfin

sur la place de l'un d'entre eux, choisissant
une ruine qui lui parut confortable, elle s'y
installa. Elle étala le châle de prière sur un pan
de mur encore debout, y disposa ses quelques
fromages rescapés et attendit les chalands, sa
fille confortablement installée sur ses genoux,
tandis que la chèvre broutait un reste de talus.

## 20

Dans le camp dit de regroupement, se
côtoient et se heurtent les anciennes victimes
et leurs anciens bourreaux. Les uns cherchant
à « se reconstruire », comme on ne le disait
pas encore à l'époque, les autres cherchant à
se fondre dans la foule des réfugiés. Ne pas
rester là, partir, fuir encore, soit, mais où aller?
Où aller, se demandait notre héros, ex-raseur
de crâne, ex-étudiant en médecine, ex-père de
famille, ex-vivant devenu ombre. Retourner
dans le pays d'où il était venu en train après
avoir été raflé par la police de ce pays? Partir
vers où? Le nord, l'est, l'ouest? Et une fois
là, reprendre ses études de médecine? Ouvrir

un salon de coiffure afin d'imposer au monde les cheveux coupés court, très court, la mode des crânes nus? Non non, de toute manière il ne pouvait quitter la région sans savoir, savoir si sa fille, sa petite fille si fragile, sa petite… quel prénom portait-elle? Quel prénom lui avait-il donné? Comment s'appelait-elle? Il ne savait plus, il ne se souvenait plus du prénom de sa propre fille.

Le jour même il quitta le camp, pécule en poche, fourni par la direction afin de permettre à ceux qui souhaitaient partir de partir, et ainsi de débarrasser le plancher en libérant la paillasse qu'ils occupaient. Il marche, il marche et marche encore à la recherche de la voie ferrée, du bois, des virages, de la vieille agenouillée dans la neige. Il trouve enfin une voie de chemin de fer abandonnée, la végétation l'envahit déjà.

Il suit cette voie ferrée. Il trouve un bois qu'il traverse, puis un autre, qu'il traverse encore, puis un autre encore. Il n'y avait plus de neige, rien ne ressemblait à rien, sinon les vieilles croisées qui ne répondaient jamais à son salut. C'était comme chercher une aiguille dans une botte de foin. Il abandonna la voie ferrée, déjà elle-même abandonnée par ses trains, et il se mit à marcher à travers les villes et les villages. Partout la fête battait son plein. La guerre était finie pour tout le monde, sauf pour lui et les siens.

Les chants, les drapeaux, les discours, les pétards même, toute cette folie, toute cette joie lui rappelaient qu'il était seul, qu'il serait seul à jamais, seul à respecter le deuil, à porter le deuil de l'humanité, le deuil de tous les massacrés, le deuil de son épouse, de ses enfants, de ses parents à lui, de ses parents à elle. Il traversait les villes et les villages, tel un spectre, témoin des libations, de la liesse, des saluts, des serments : plus jamais ça, plus jamais.

Il ne savait pas ce qu'il cherchait au juste. Il marchait. Sa tête lui tournait et il se rappela qu'il avait faim. Il avait faim malgré tout.

Sur une petite table il vit des fromages, des tout petits fromages, il eut soudain envie de fromage. Ces fromages minuscules s'étalaient sur une nappe bizarre qui ne convenait pas aux fromages exposés, une nappe qui semblait tissée de fils d'or et d'argent. Il posa une main sur la nappe avec quelques pièces de monnaie et soudain, soudain, il comprit. Il leva alors les yeux sur la femme, pas si vieille, assise derrière la petite table couverte de cette nappe bizarre. La femme avait une enfant sur ses genoux. Toutes deux lui souriaient et semblaient l'encourager à choisir un des fromages. La vieille lui parla dans une langue qu'il ne comprenait pas. Elle lui fit signe de se servir, mais lui n'avait d'yeux que pour la fillette. Celle-ci lui fit également signe des yeux et des mains de se servir et lui vanta leur qualité, puis elle lui désigna la chèvre à ses côtés, lui indiquant que c'était du lait de cette chèvre que les fromages naissaient. Il ne comprit pas tout mais il comprit l'essentiel. Sa fille, c'était sa fille, sa fille jetée du train, sa fille vouée aux fours, sa fille qu'il avait sauvée.

Un cri, un cri terrible, un cri de joie, de peine, de victoire, un cri se forma dans sa poitrine, mais rien, rien ne sortit de sa bouche. Il se saisit d'un fromage, fixant toujours la fillette, sa fille. Elle vivait, elle vivait, elle était heureuse, elle souriait. Il esquissa lui-même un sourire, puis, tendit une main tremblante vers la joue de la fillette pour caresser cette joue tentante. La fillette se saisit alors de sa main et la porta à ses lèvres avant d'éclater de rire. Il retira sa main précipitamment.

Au bord du malaise il se retira, toujours regardant la vieille, la chèvre, et sa petite fille qu'il venait de remettre au monde. Il fixait de toute l'intensité de ses yeux cette marchande de fromages et sa propre fille assise sur ses genoux et s'embrassant. Il les fixait de tous ses yeux comme s'il voulait graver dans ses pupilles, dans son cœur, dans son âme, leur image de bonheur partagé. Pourquoi se faire connaître? Pourquoi rompre l'équilibre? Qu'avait-il à apporter à sa propre fille? Rien, moins que rien. Il fit encore quelques pas, s'arrêtant encore. Peut-être fallait-il malgré tout… peut-être devait-il… puis il s'arracha au prix d'un effort surhumain chargé d'une joie et d'une tristesse mêlées. Il s'éloigna à grands pas.

Il avait vaincu la mort, sauvé sa fille par ce geste insensé, il avait eu raison de la monstrueuse industrie de la mort. Il eut le courage de jeter un dernier regard sur sa fillette retrouvée et reperdue à jamais. Elle faisait déjà l'article à un nouveau chaland montrant de ses petites mains la provenance du fromage en désignant du doigt la chèvre chérie et sa maman adorée.

Allez, il est temps maintenant de quitter notre petite marchandise et de la laisser vivre sa vie. Pardon ? Vous voulez savoir ce qu'il advint de son ex-père ? On dit, mais on dit tellement de choses, qu'il retourna dans le pays où la police l'avait raflé, lui, sa femme et ses deux jeunes enfants avec des milliers d'autres, femmes, hommes, enfants, on dit donc qu'il y retourna et y finit ses études de médecine, qu'il devint pédiatre, et qu'il consacra sa vie à soigner et à aimer les enfants des autres.

La petite marchandise, elle, devint pionnière d'élite. Elle reçut un foulard rouge et une étoile rouge également à épingler sur son corsage blanc. Une photo d'elle parut en couverture d'un magazine, elle y était rayonnante. Le photographe lui avait demandé de sourire.

On dit même, mais on dit, je vous l'ai déjà dit, on dit tellement de choses, que le grand médecin, de passage dans ce pays – comme tous les ans il y venait le jour anniversaire de

99

la libération du camp qui avait englouti son épouse et l'un de ses enfants ainsi que ses parents et les parents de son épouse –, on dit donc qu'il vit cette photo, qu'il crut reconnaître son épouse et sa propre mère, on dit même qu'il écrivit au magazine d'État *Jeunesse et Joie* pour entrer en contact avec la pionnière d'élite, Maria Tchekolova, qu'on présentait comme la pionnière la plus méritante parce que fille d'une pauvre femme, une pauvre bûcheronne illettrée devenue marchande de fromages.

Non, on ne sait rien, ou du moins je n'ai rien entendu dire moi-même, sur le succès ou l'échec de la tentative que fit l'ex-père des jumeaux. On ne sait donc pas, et on ne saura jamais, s'il a pu ou non retrouver enfin sa fille.

# Épilogue

Voilà, vous savez tout. Pardon ? Encore une question ? Vous voulez savoir si c'est une histoire vraie ? Une histoire vraie ? Bien sûr que non, pas du tout. Il n'y eut pas de trains de marchandises traversant les continents en guerre afin de livrer d'urgence leurs marchandises, ô combien périssables. Ni de camp de regroupement, d'internement, de concentration, ou même d'extermination. Ni de familles dispersées en fumée au terme de leur dernier voyage. Ni de cheveux tondus récupérés, emballés puis expédiés. Ni le feu, ni la cendre, ni les larmes. Rien, rien de tout cela n'est arrivé, rien de tout cela n'est vrai.

Pas plus que ne le sont pauvre bûcheronne et son pauvre bûcheron, pas plus que les sans-cœur et les chasseurs de sans-cœur. Rien, rien de tout cela n'est vrai. Ni la libération des villes et des champs, des bois et des camps, qui n'existaient pas. Ni les années qui suivirent cette libération. Ni la douleur des pères et mères cherchant leurs enfants disparus. Ni même les châles de prière frangés et brodés d'or et d'argent. Ni l'homme à la chèvre et à la tête cabossée, ni l'homme coiffé – Dieu merci si toutefois il existe! –, ni l'homme coiffé d'une taupe éventrée et retournée en guise de chapeau. Rien, rien de tout cela n'est vrai. Ni la hache du pauvre bûcheron, la hache qui coupa la taupe en deux avant d'écrabouiller les deux misérables miliciens chasseurs de sans-cœur.

Rien, rien n'est vrai.

La seule chose vraie, vraiment vraie, ou qui mérite de l'être dans cette histoire, car il faut bien qu'il y ait quelque chose de vrai dans une histoire sinon à quoi bon se décarcasser à la raconter, la seule chose vraie, vraiment vraie donc, c'est qu'une petite fille, qui n'existait pas, fut jetée de la lucarne d'un train de marchandises, par amour et par désespoir, fut jetée d'un train, enveloppée d'un châle de prière frangé et brodé d'or et d'argent, châle de prière qui n'existait pas, fut jetée dans la neige aux pieds d'une pauvre bûcheronne sans enfant à chérir, et que cette pauvre bûcheronne, qui n'existait pas, l'a ramassée, nourrie, chérie, et aimée plus que tout. Plus que sa vie même. Voilà.

Voilà la seule chose qui mérite d'exister dans les histoires comme dans la vie vraie. L'amour, l'amour offert aux enfants, aux siens comme à ceux des autres. L'amour qui fait que, malgré tout ce qui existe, et tout ce qui n'existe pas, l'amour qui fait que la vie continue.

## Appendice
## pour amateurs d'histoires vraies

Le convoi numéro 45 partit de Drancy le 11 novembre 1942 avec à son bord sept cent soixante-dix-huit hommes, femmes et enfants, dont un grand nombre de vieillards et d'invalides, parmi lesquels figurait l'aveugle Naphtali Grumberg, grand-père de l'auteur.

Deux rescapés en 1945.

Le convoi 49 partit le 2 mars 1943 transportant un millier de juifs dont le père de l'auteur, Zacharie Grumberg, ainsi que Silvia Menkès, née le 4 mars 1942, gazée le 4 mars 1943, jour anniversaire de sa naissance.

En 1945 six survivants dont deux femmes.

*Le Mémorial de la déportation des juifs de France* établi par Serge Klarsfeld d'après les listes alphabétiques des juifs déportés de France, qui fait office pour nombre d'entre nous, enfants de déportés, de caveau de famille, ouvrage d'où je tire ces histoires vraies, précise qu'Abraham et Chaïga Wizenfeld, ainsi que leurs jumeaux Jeanine et Fernand, nés à Paris X^e le 9 novembre 1943, quittèrent Drancy le 7 décembre de cette même année, soit vingt-huit jours après leur naissance. Convoi numéro 64.

# L'auteur

Jean-Claude Grumberg est l'auteur d'une trentaine de pièces de théâtre, dont *Demain une fenêtre sur rue, Rixe, Les Vacances, Amorphe d'Ottenburg, Dreyfus, Chez Pierrot, En r'venant d'l'Expo, L'Atelier, L'Indien sous Babylone, Zone libre, L'Enfant do, Rêver, peut-être*. Il est aussi l'auteur de pièces de théâtre pour la jeunesse : *Le Petit Violon, Marie des grenouilles, Pinok et Barbie, Le Petit Chaperon Ulf*, etc.

L'ensemble de son œuvre théâtrale est édité chez Actes Sud-Papiers.

Il a publié au Seuil, dans « La Librairie du XXIᵉ siècle », *Mon Père. Inventaire*, suivi d'*Une leçon de savoir-vivre* (2003) et *Pleurnichard* (2010).

Il a reçu notamment le prix du Syndicat de la critique, le prix de la SACD et le prix Plaisir du théâtre pour *Dreyfus*, le prix du Syndicat de la critique, le grand prix de la Ville de Paris, le prix Ibsen et le Molière du meilleur auteur pour *L'Atelier*, le Molière du meilleur auteur et le prix du théâtre de l'Académie française pour *Zone libre*, le prix de la Critique pour *Rêver, peut-être*, le grand prix de la SACD 1999 pour l'ensemble de son œuvre et le Molière du meilleur auteur pour sa pièce *Vers toi, terre promise. Tragédie dentaire*, ainsi que le grand prix du Syndicat de la critique 2009 et le prix artistique 2009 de la Fondation France-Israël.

*Rixe*, pièce créée en 1968 à Amiens dans une mise en scène de Jean-Pierre Miquel, est présentée en 1971 à la Comédie-Française dans le cadre du cycle «Auteurs nouveaux», dans une mise en scène de Jean-Paul Roussillon, avant d'être reprise en 1982 au Petit-Odéon. Au même programme figure la pièce *Les Vacances*, également jouée et mise en scène par Jean-Paul Roussillon. Les deux pièces sont reprises en 2009, sous le titre *Les Autres*, au théâtre des Mathurins, dans une mise en scène de Daniel Colas avec Daniel Russo.

*Amorphe d'Ottenburg*, pièce créée en 1971 au théâtre national de l'Odéon par les comédiens-français dans une mise en scène de Jean-Paul

Roussillon, entre au répertoire de la Comédie-Française en 2000 dans une mise en scène de Jean-Michel Ribes. Sa pièce *Vers toi, terre promise. Tragédie dentaire* a été créée en 2009, dans une mise en scène de Charles Tordjman. En 2015, le même Charles Tordjman met en scène avec Pierre Arditi et Daniel Russo *Pour en finir avec la question juive (L'être ou pas)* au Théâtre Antoine ; et, en 2017, *Votre maman* au Théâtre de l'Atelier.

*Pour la télévision*

Il a écrit – pour Simone Signoret – *Thérèse Humbert* et *Music-Hall*, réalisés par Marcel Bluwal, *Les lendemains qui chantent*, réalisés par Jacques Fansten, *La Peau du chat* et *Julien l'apprenti*, réalisés par Jacques Otmezguine, *93 rue Lauriston*, *Clémentine*, *Les livres qui tuent*, tous trois réalisés par Denys Granier-Deferre.

*Au cinéma*

Il est, entre autres, codialoguiste du *Dernier Métro* de François Truffaut, des *Années sandwiches* de Pierre Boutron, et coauteur de *La Petite*

*Apocalypse*, d'*Amen* (César 2003 du meilleur scénario), du *Couperet*, d'*Éden à l'Ouest* et du *Capital* de Costa-Gavras.

# La Librairie du XXIᵉ siècle

Henri Atlan, *L'Organisation biologique et la Théorie de l'information*.

Henri Atlan, *De la fraude. Le monde de l'*onaa.

Marc Augé, *Domaines et châteaux*.

Marc Augé, *Non-lieux. Introduction à une anthropologie de la surmodernité*.

Marc Augé, *La Guerre des rêves. Exercices d'ethnofiction*.

Marc Augé, *Casablanca*.

Marc Augé, *Le Métro revisité*.

Marc Augé, *Quelqu'un cherche à vous retrouver*.

Marc Augé, *Journal d'un SDF. Ethnofiction*.

Marc Augé, *Une ethnologie de soi. Le temps sans âge*.

Jean-Christophe Bailly, *Le Propre du langage. Voyages au pays des noms communs*.

Jean-Christophe Bailly, *Le Champ mimétique*.

Marcel Bénabou, *Jacob, Ménahem et Mimoun. Une épopée familiale*.

Marcel Bénabou, *Pourquoi je n'ai écrit aucun de mes livres*.

Julien Blanc, *Au commencement de la Résistance. Du côté du musée de l'Homme 1940-1941*.

R. Howard Bloch, *Le Plagiaire de Dieu. La fabuleuse industrie de l'abbé Migne*.

Paul Celan et Gisèle Celan-Lestrange, *Correspondance*.

Paul Celan, *Le Méridien & autres proses*.

Paul Celan, *Renverse du souffle*.

Paul Celan et Ilana Shmueli, *Correspondance*.

Paul Celan, *Partie de neige*.

Paul Celan et Ingeborg Bachmann, *Le Temps du cœur. Correspondance*.

Michel Chodkiewicz, *Un océan sans rivage. Ibn Arabî, le Livre et la Loi*.

Antoine Compagnon, *Chat en poche. Montaigne et l'allégorie*.

Hubert Damisch, *Un souvenir d'enfance par Piero della Francesca*.

Hubert Damisch, *CINÉ FIL*.

Hubert Damisch, *Le Messager des îles*.

Hubert Damisch, *La Ruse du tableau. La peinture ou ce qu'il en reste*.

Luc Dardenne, *Au dos de nos images (1991-2005)*, suivi de *Le Fils* et *L'Enfant*, par Jean-Pierre et Luc Dardenne.

Luc Dardenne, *Au dos de nos images II (2005-2014)*, suivi de *Le Gamin au vélo* et *Deux jours, une nuit*, par Jean-Pierre et Luc Dardenne.

Luc Dardenne, *Sur l'affaire humaine*.

Michel Deguy, *À ce qui n'en finit pas*.

Daniele Del Giudice, *Quand l'ombre se détache du sol*.

Daniele Del Giudice, *L'Oreille absolue*.

Daniele Del Giudice, *Dans le musée de Reims*.

Daniele Del Giudice, *Horizon mobile*.

Daniele Del Giudice, *Marchands de temps*.

Daniele Del Giudice, *Le Stade de Wimbledon*.

Mireille Delmas-Marty, *Pour un droit commun*.

Jean-Paul Demoule, *Mais où sont passés les Indo-Européens ? Le mythe d'origine de l'Occident*.

Marcel Detienne, *Comparer l'incomparable*.

Marcel Detienne, *Comment être autochtone. Du pur Athénien au Français raciné*.

Donatella Di Cesare, *Heidegger, les Juifs, la Shoah. Les* Cahiers noirs.

Milad Doueihi, *Histoire perverse du cœur humain*.

Milad Doueihi, *Le Paradis terrestre. Mythes et philosophies*.

Milad Doueihi, *La Grande Conversion numérique*.

Milad Doueihi, *Solitude de l'incomparable. Augustin et Spinoza*.

Milad Doueihi, *Pour un humanisme numérique*.

Jean-Pierre Dozon, *La Cause des prophètes. Politique et religion en Afrique contemporaine*, suivi de *La Leçon des prophètes* par Marc Augé.

Pascal Dusapin, *Une musique en train de se faire*.

Brigitta Eisenreich, avec Bertrand Badiou, *L'Étoile de craie. Une liaison clandestine avec Paul Celan*.

Uri Eisenzweig, *Naissance littéraire du fascisme*.

Uri Eisenzweig, *Le sionisme fut un humanisme*.

Norbert Elias, *Mozart. Sociologie d'un génie*.

Norbert Elias, *Théorie des symboles*.

Norbert Elias, *Les Allemands. Évolutions de l'habitus et luttes de pouvoir aux XIXe et XXe siècles*.

Rachel Ertel, *Dans la langue de personne. Poésie yiddish de l'anéantissement*.

Arlette Farge, *Le Goût de l'archive*.

Arlette Farge, *Dire et mal dire. L'opinion publique au XVIIIe siècle*.

Arlette Farge, *Le Cours ordinaire des choses dans la cité au XVIIIe siècle*.

Arlette Farge, *Des lieux pour l'histoire*.

Arlette Farge, *La Nuit blanche*.

Alain Fleischer, *L'Accent, une langue fantôme*.

Alain Fleischer, *Le Carnet d'adresses*.

Alain Fleischer, *Réponse du muet au parlant. En retour à Jean-Luc Godard*.

Alain Fleischer, *Sous la dictée des choses*.

Lydia Flem, *L'Homme Freud*.

Lydia Flem, *Casanova ou l'Exercice du bonheur*.

Lydia Flem, *La Voix des amants*.

Lydia Flem, *Comment j'ai vidé la maison de mes parents*.

Lydia Flem, *Panique*.

Lydia Flem, *Lettres d'amour en héritage*.

Lydia Flem, *Comment je me suis séparée de ma fille et de mon quasi-fils*.

Lydia Flem, *La Reine Alice*.

Lydia Flem, *Discours de réception à l'Académie royale de Belgique*, accueillie par Jacques de Decker, secrétaire perpétuel.

Lydia Flem, *Je me souviens de l'imperméable rouge que je portais l'été de mes vingt ans*.

Lydia Flem, *La Vie quotidienne de Freud et de ses patients*, préface de Fethi Benslama.

Nadine Fresco, *Fabrication d'un antisémite*.

Nadine Fresco, *La Mort des juifs*.

Françoise Frontisi-Ducroux, *Ouvrages de dames. Ariane, Hélène, Pénélope…*

Françoise Frontisi-Ducroux, *Arbres filles et garçons fleurs. Métamorphoses érotiques dans les mythes grecs.*

Marcel Gauchet, *L'Inconscient cérébral.*

Hélène Giannecchini, *Une image peut-être vraie. Alix Cléo Roubaud.*

Jack Goody, *La Culture des fleurs.*

Jack Goody, *L'Orient en Occident.*

Anthony Grafton, *Les Origines tragiques de l'érudition. Une histoire de la note en bas de page.*

Jean-Claude Grumberg, *Mon père. Inventaire,* suivi de *Une leçon de savoir-vivre.*

Jean-Claude Grumberg, *Pleurnichard.*

Jean-Claude Grumberg, *La Plus Précieuse des marchandises. Un conte.*

François Hartog, *Régimes d'historicité. Présentisme et expériences du temps.*

Daniel Heller-Roazen, *Écholalies. Essai sur l'oubli des langues.*

Daniel Heller-Roazen, *L'Ennemi de tous. Le pirate contre les nations.*

Daniel Heller-Roazen, *Une archéologie du toucher.*

Daniel Heller-Roazen, *Le Cinquième Marteau. Pythagore et la dysharmonie du monde.*

Claude Lévi-Strauss, *L'Autre Face de la lune. Écrits sur le Japon.*

Claude Lévi-Strauss, *Nous sommes tous des cannibales.*

Claude Lévi-Strauss, *« Chers tous deux ». Lettres à ses parents, 1931-1942.*

Claude Lévi-Strauss, *Le Père Noël supplicié.*

Claude Lévi-Strauss / Roman Jakobson, *Correspondance. 1942-1982.*

Monique Lévi-Strauss, *Une enfance dans la gueule du loup.*

Nicole Loraux, *Les Mères en deuil.*

Nicole Loraux, *Né de la Terre. Mythe et politique à Athènes.*

Nicole Loraux, *La Tragédie d'Athènes. La politique entre l'ombre et l'utopie.*

Patrice Loraux, *Le Tempo de la pensée.*

Sabina Loriga, *Le Petit x. De la biographie à l'histoire.*

Charles Malamoud, *Le Jumeau solaire.*

Charles Malamoud, *La Danse des pierres. Études sur la scène sacrificielle dans l'Inde ancienne.*

François Maspero, *Des saisons au bord de la mer.*

Marie Moscovici, *L'Ombre de l'objet. Sur l'inactualité de la psychanalyse.*

Maurice Olender, *Un fantôme dans la bibliothèque.*

Nicanor Parra, *Poèmes et Antipoèmes* et *Anthologie (1937-2014)*.

Michel Pastoureau, *L'Étoffe du diable. Une histoire des rayures et des tissus rayés*.

Michel Pastoureau, *Une histoire symbolique du Moyen Âge occidental*.

Michel Pastoureau, *L'Ours. Histoire d'un roi déchu*.

Michel Pastoureau, *Les Couleurs de nos souvenirs*.

Michel Pastoureau, *Le Roi tué par un cochon. Une mort infâme aux origines des emblèmes de la France?*

Michel Pastoureau, *Une couleur ne vient jamais seule. Journal chromatique, 2012-2016*.

Vincent Peillon, *Une religion pour la République. La foi laïque de Ferdinand Buisson*.

Vincent Peillon, *Éloge du politique. Une introduction au XXIᵉ siècle*.

Vincent Peillon, *Liberté, égalité, fraternité. Sur le républicanisme français*.

Georges Perec, *L'Infra-ordinaire*.

Georges Perec, *Vœux*.

Georges Perec, *Je suis né*.

Georges Perec, *Cantatrix sopranica L. et autres écrits scientifiques*.

Georges Perec, *L. G. Une aventure des années soixante*.

Georges Perec, *Le Voyage d'hiver*.

Georges Perec, *Un cabinet d'amateur*.

Georges Perec, *Beaux présents belles absentes*.

Georges Perec, *Penser / Classer*.

Georges Perec, *Le Condottière*.

Georges Perec, *L'Attentat de Sarajevo*.

Georges Perec / OuLiPo, *Le Voyage d'hiver & ses suites*.

Catherine Perret, *L'Enseignement de la torture. Réflexions sur Jean Améry*.

Michelle Perrot, *Histoire de chambres*.

Michelle Perrot, *George Sand à Nohant. Une maison d'artiste*.

J.-B. Pontalis, *La Force d'attraction*.

Jean Pouillon, *Le Cru et le Su*.

Jérôme Prieur, *Roman noir*.

Jérôme Prieur, *Rendez-vous dans une autre vie*.

Jérôme Prieur, *La Moustache du soldat inconnu*.

Jacques Rancière, *Courts Voyages au pays du peuple*.

Jacques Rancière, *Les Noms de l'histoire. Essai de poétique du savoir*.

Jacques Rancière, *La Fable cinématographique*.

Jacques Rancière, *Chroniques des temps consensuels*.

Jacques Rancière, *Les Bords de la fiction*.

Jean-Michel Rey, *Paul Valéry. L'aventure d'une œuvre*.

Jacqueline Risset, *Puissances du sommeil*.

Jean-Loup Rivière, *Le Monde en détails*.

Denis Roche, *Dans la maison du Sphinx. Essais sur la matière littéraire*.

Olivier Rolin, *Suite à l'hôtel Crystal*.

Olivier Rolin & Cie, *Rooms*.

Charles Rosen, *Aux confins du sens. Propos sur la musique*.

Israel Rosenfield, *« La Mégalomanie » de Freud*.

Pierre Rosenstiehl, *Le Labyrinthe des jours ordinaires*.

Paul-André Rosental, *Destins de l'eugénisme*.

Jacques Roubaud, *Poétique. Remarques. Poésie, mémoire, nombre, temps, rythme, contrainte, forme, etc.*

Jacques Roubaud, *Peut-être ou La Nuit de dimanche (brouillon de prose). Autobiographie romanesque*.

Jean-Frédéric Schaub, *Oroonoko, prince et esclave. Roman colonial de l'incertitude*.

Jean-Frédéric Schaub, *Pour une histoire politique de la race*.

Francis Schmidt, *La Pensée du Temple. De Jérusalem à Qoumrân.*

Jean-Claude Schmitt, *La Conversion d'Hermann le Juif. Autobiographie, histoire et fiction.*

Michel Schneider, *La Tombée du jour. Schumann.*

Michel Schneider, *Baudelaire. Les années profondes.*

Jean Schwœbel, *La Presse, le pouvoir et l'argent*, préface de Paul Ricœur, avant-propos d'Edwy Plenel.

David Shulman, Velcheru Narayana Rao et Sanjay Subrahmanyam, *Textures du temps. Écrire l'histoire en Inde.*

David Shulman, *Ta'ayush. Journal d'un combat pour la paix. Israël-Palestine, 2002-2005.*

Jean Starobinski, *Action et réaction. Vie et aventures d'un couple.*

Jean Starobinski, *Les Enchanteresses.*

Jean Starobinski, *L'Encre de la mélancolie.*

Anne-Lise Stern, *Le Savoir-déporté. Camps, histoire, psychanalyse.*

Antonio Tabucchi, *Les Trois Derniers Jours de Fernando Pessoa. Un délire.*

Antonio Tabucchi, *La Nostalgie, l'Automobile et l'Infini. Lectures de Pessoa.*

Antonio Tabucchi, *Autobiographies d'autrui. Poétiques* a posteriori.

Emmanuel Terray, *La Politique dans la caverne.*

Emmanuel Terray, *Une passion allemande. Luther, Kant, Schiller, Hölderlin, Kleist.*

Emmanuel Terray, *Mes anges gardiens*, précédé d'*Emmanuel Terray l'insurgé*, par Françoise Héritier.

Camille de Toledo, *Le Hêtre et le Bouleau. Essai sur la tristesse européenne*, suivi de *L'Utopie linguistique ou La pédagogie du vertige.*

Camille de Toledo, *Vies pøtentielles.*

Camille de Toledo, *Oublier, trahir, puis disparaître.*

Peter Trawny, *Heidegger. Une introduction critique.*

César Vallejo, *Poèmes humains* et *Espagne, écarte de moi ce calice.*

Jean-Pierre Vernant, *Mythe et religion en Grèce ancienne.*

Jean-Pierre Vernant, *Entre mythe et politique I.*

Jean-Pierre Vernant, *L'Univers, les Dieux, les Hommes. Récits grecs des origines.*

Jean-Pierre Vernant, *La Traversée des frontières. Entre mythe et politique II.*

Ida Vitale, *Ni plus ni moins.*

Nathan Wachtel, *Dieux et vampires. Retour à Chipaya.*

Nathan Wachtel, *La Foi du souvenir. Labyrinthes marranes.*

Nathan Wachtel, *La Logique des bûchers.*

Nathan Wachtel, *Mémoires marranes. Itinéraires dans le* sertão *du Nordeste brésilien.*

Catherine Weinberger-Thomas, *Cendres d'immortalité. La crémation des veuves en Inde.*

Natalie Zemon Davis, *Juive, catholique, protestante. Trois femmes en marge au XVIIe siècle.*

RÉALISATION : PAO ÉDITIONS DU SEUIL
IMPRESSION : NORMANDIE ROTO IMPRESSION S.A.S. À LONRAI
DÉPÔT LÉGAL : JANVIER 2019. N° 141419 (1804318)
IMPRIMÉ EN FRANCE